Aloha Adventure

A STORY OF TWO FRIENDS

SHÄRP Literacy

SHARP Literacy, Inc. is a nonprofit 501(c)3 educational organization.

Published by SHARP Literacy, Inc.
5775 North Glen Park Road, Suite 202
Milwaukee, WI 53209 USA
414-410-3200
www.sharpliteracy.org

First edition
9 8 7 6 5 4 3 2 1

Printed in the United States of America

Library of Congress Control Number: 2017943612

ISBN 978-0-9986683-0-7

Author: Dasha Kelly Hamilton
Illustrator: Janet Davis
Creative Director: Dan Saal, Thoughtfull Corporation
Graphic Designer: Alvaro Villanueva
Spanish Translator: Alessandra Luiselli
Printer: Quad Graphics
Illustrations Photographer: Sonja Thomsen

Acknowledgments

Aloha Adventure: A Story of Two Friends would not have been possible without the generous support of the following sponsors:
  Greater Milwaukee Foundation
  Mihi Cura Fund
  Stella Jones Foundation
  Jim and Andrea Schloemer

The Woman's Club of Wisconsin generously supported the Young Artists Workshop.

The following organizations helped expand SHARP Literacy's reach into K4 classrooms:
  PNC Foundation
  Richard and Ethel Herzfeld Foundation
  United Way of Greater Milwaukee & Waukesha County
  Wells Fargo Foundation

Students and teachers from the following schools participated in the Young Artists Workshop; they were truly the inspiration for the creation of this incredible book.
  Dr. Martin Luther King, Jr. Elementary School (Milwaukee)
  La Casa de Esperanza Charter School (Waukesha)
  Messmer St. Rose (Milwaukee)
  Victory K8 and Milwaukee Italian Immersion School (Milwaukee)
  Kihei Elementary School (Maui)

We extend a heartfelt thank you to:

Janet Davis	Joan Rice
Kylee Jo Diedrich	Dan Saal
Dasha Kelly Hamilton	Andrea Schloemer
Lauren Lott	Neighborhood House
Sarah Gail Luther	VISIT Milwaukee
Cameron Nelson	Wisconsin State Cranberry Growers Association
James Netz	

Contents

Letter from SHARP Literacy President/CEO 4

To our young readers 5

Foreword and How to use this book 6

Part 1: Maui, Hawaii 7

Information Section 32

   Where in the world do you live? Where have you visited? . . . 32

   What are some of the animals you know? 34

   Where is your home or shelter? How does it protect you? . . . 35

   How have you changed as you've grown? 36

   What is the Aloha Spirit? What is Ohana? 37

   What do you want to know about Hawaii?. 38

   Power Words 39

Flip the book over and start from the other side for...

Part 2: Ashland, Wisconsin. 1

Information Section 24

   What is a habitat?. 24

   What is climate? 25

   How do animals and plants adapt to their environments? . . . 26

   What are some different types of seeds?. 27

   How do trees and flowers grow? 28

   What do you want to know about Wisconsin? 30

   Power Words 31

Dear young readers,

I am so excited and happy that you will soon be reading this book!

I think back to when I was your age--when I realized that I would soon be going to school, I was both excited and anxious at the same time. I thought that learning new things would be fun, but I was a little unsure about school itself. What would I be learning? Would it be hard to learn? Who would my classmates be? Would they like me? Would any of them be my friend, maybe even my best friend?

It didn't take me long to realize that I didn't have to be anxious about school and I had no reason to worry. Learning new things was tons of fun, and my teachers were funny, silly, serious but always nice! I made lots of new friends, and many became my lifelong friends. Those first years in school were maybe the most inspiring days of my life.

Different grownups read lots of stories to me when I was little, and I always imagined myself as being one of the characters in the story. I remember stories like "The Tortoise and the Hare" and "The Lion and the Mouse." My favorites usually had animal characters and always taught an important or valuable lesson.

The story you are about to read is about two animals that become good friends –Ilani and Jimmy—who just happen to live thousands of miles apart. They love to learn things about and from each other. Some things are very much alike, but many things are very much different. Ilani and Jimmy enjoy each other's company, and at times it even seems that they compete with each other to see who can tell the most important and fun facts about the places they call home!

Please enjoy the book. I know I did! As I read, I kept wondering what was going to happen next. I think the little surprises kept me excited until the end. It is easy to imagine living in Wisconsin, but it was so much fun imagining what it would be like living in Maui!

Keep on reading,

Lynda Kohler

Lynda Kohler, President, SHARP Literacy

To our young readers,

Have you ever seen or experienced something or someplace so beautiful that you wanted to share it with your family and friends? That's how I feel about Maui, one of the 8 major islands that make up Hawaii, our 50th state. Its culture, its climate and its landscape are very different from my home state of Wisconsin; both are beautiful, but in very different ways. On the other hand, the people who live in Hawaii and Wisconsin have many things in common. They are warm and welcoming, they love their families, and they are respectful of the environment.

In this book, we will share many unique and interesting facts about Maui and Wisconsin by comparing their climates, animals, habitat and vegetation. You will learn some new words and have fun identifying things that are familiar.

We meet our story's characters, Ilani, a young humpback whale, and Jimmy, a grey wolf pup from Wisconsin, who become unlikely friends while they learn about each other's habitat and culture. They experience the Aloha Spirit, which means being kind, respectful and considerate toward all those we meet. They become *ohana* (family) and share in each other's joys.

I hope you will be charmed and entertained by this lovely story. You will see how friends from very different backgrounds can experience and learn new things about each other and make their own lives richer as a result. Smile while you're reading this whimsical story and enjoy the beautiful artwork and photography.

With aloha,

Andrea Schloemer

These cute little people are called menehunes, a fun part of Hawaiian culture. How many can you find hiding in the pictures of this book? To learn more about menehunes, turn to page 37.

Estas lindas personitas se llaman menehunes, y son una parte muy divertida de la cultura hawaiana. ¿Cuántos puedes encontrar escondidos en las ilustraciones de este libro? Para obtener más información de los menehunes, ve a la página 37.

Foreword by Dasha Kelly Hamilton

We're all made up of stories: first time, favorite time, tough time and "remember the time when…" stories. I often tell my students that their every breath is a poem and every heartbeat is a story. My students are new writers and seasoned writers, they're corporate executives and nonprofit managers; my students are high school students and high school teachers; they're inmates, counselors and artists; some of my students are pursuing advanced degrees while others are unable to construct a paragraph. Whether they fancy themselves story*tellers* or not, I remind my students that they are all story *makers*. I remind them that their life moments are collections of triumphs and wonder. I remind them –*all* of them— that their lives are story worthy, too.

With this SHARP project for pre-readers, I have joined a team to honor and encourage the youngest story makers. Quite possibly, K4 and K5 children hold the deepest affection for stories. With this project, young readers will meet two new friends, vastly different and wildly distant. In addition to being an adventure tale and a way to learn about habitats and living things, young readers find themselves reflected in the story: how it feels to be in new places, what happens when we get excited or scared, when is the best time to ask for help and why everyone wins when we take care of each other.

From the first page of this book and through every page they will turn in the future, I'm honored to be part of an experience that invites young readers inside new stories while also celebrating their own learnings, families, near-adventures, cultures and ideas.

How to use this book

The purpose of this book is for young children to have fun exploring the practice of reading and learning about science with help from a trusted adult. Adults can allow the young explorers engaging with this book to develop curiosity and critical thinking skills by encouraging the children to point to illustrations and talk about ideas and questions they have. Start with Part 1 and then make your way to Part 2. Notice the fiction and non-fiction sections of each side of the book and let the children's sense of wonder lead the learning adventure you share together!

Cómo usar este libro

El propósito de este libro es que los niños pequeños se diviertan explorando la práctica de leer y aprender sobre la ciencia, con la ayuda de un adulto de confianza. Los adultos pueden ayudar a que los jóvenes exploradores que participen con este libro desarrollen su curiosidad y sus habilidades de pensamiento crítico, alentando a los niños a señalar las ilustraciones y a hablar sobre las ideas y las preguntas que puedan tener. Comience con la Parte 1 y luego vaya a la Parte 2. ¡Observe las secciones de ficción y las secciones de no ficción en cada parte del libro y deje que el sentido que tienen los niños de maravillarse sea lo que guíe la aventura de aprendizaje que comparte!

Aloha Adventure

A STORY OF TWO FRIENDS

PART 1:

Maui, Hawaii

Wolf sat in the circle, eager for all the fun and activities to begin. He'd waited three whole summers to be old enough for the Jamboree Camp on Ulua Beach in Maui, Hawaii. His big brother had always come home with fantastic new stories and songs. Wolf was so excited to be at camp that giggly bubbles danced and tickled inside his belly.

—m—

Lobo se sentó en el círculo, ansioso de que comenzaran la diversión y las actividades. Había esperado tres veranos enteros para ser lo suficientemente mayor para entrar al Campamento Jamboree de Playa Ulua en Maui, Hawaii. Su hermano mayor siempre regresaba a casa de ese campamento con fantásticas historias y canciones nuevas. Lobo estaba tan emocionado de estar en el campamento que sentía unas juguetonas bailando y haciéndole cosquillas en el estómago.

To learn more about the island of Maui, Hawaii, turn to pages 32 and 33.

Para aprender más sobre la isla de Maui, Hawaii, vaya a la páginas 32 y 33.

"*Aloha*!" A small fish with a big voice and bright racing stripes jumped into the center of their circle. He played a tiny guitar called a ukulele and said, "My name is Kumu Humu. I am the camp teacher. In Maui, we greet each other with *Aloha*."

Kumu Humu strummed, strolled, and hummed. He stopped right in front of Wolf, who was pleased that Kumu Humu had picked him. "What is your name?" Kumu Humu asked.

"Jimmy," answered Wolf.

"Ahhhhh! In Hawaiian, the name for Jimmy is Kimo," Kumu Humu said. "Should we use your Hawaiian name this week?" Wolf nodded excitedly.

—⁓—

"¡Aloha!". Un pequeño pez de gran voz y de rayas muy brillantes saltó al centro del círculo que formaban los campistas. El pez tocaba una guitarra muy pequeña llamada ukulele y dijo: "Mi nombre es Kumu Humu. Soy el maestro del campamento. En Maui, todos nos saludamos diciendo *Aloha*".

Kumu Humu tocaba, nadaba y canturreaba. Se detuvo justo enfrente de Lobo, quien estaba muy complacido de que Kumu Humu lo hubiera elegido. "¿Cómo te llamas?", le preguntó Kumu Humu.

"Jimmy", contestó Lobo.

"¡Ajajaá! En hawaiano, el nombre Jimmy se dice Kimo ", explicó Kumu Humu. "¿Podríamos usar tu nombre hawaiano esta semana?". Lobo asintió entusiasmado.

i To learn more about Hawaiian words, turn to page 38.

Para aprender más sobre palabras Hawaiianas vaya a la página 38.

"Aloha, Kimo Wolf!" welcomed Kumu Humu. "Aloha is a greeting, but it is also our way of life. Every time we say hello or farewell, we're reminded to take care of one another." Kimo and the campers practiced shaping their mouths around the new word while Kumu Humu played his ukulele. *Aloha! Aloha! Aloha!*

—m—

"¡Aloha, Kimo Lobo!", dijo Kumu Humu, dándole la bienvenida. "Aloha es un saludo, pero también es nuestra forma de vida. Cada vez que nos saludamos o nos despedimos decimos Aloha, eso nos recuerda que debemos cuidarnos los unos a los otros". Kimo y los otros campistas practicaron moldear sus bocas al sonido de la nueva palabra mientras que Kumu Humu tocaba su ukulele. *¡Aloha! ¡Aloha! ¡Aloha!*

 To learn more about the meaning of *aloha*, turn to page 37.

Para aprender más sobre el significado de *aloha* vaya a la página 37.

13

"Freeze!" Kumu Humu shouted. Kimo excelled at the freeze game. He didn't twitch a whisker. One of the other campers, Ilani Whale, was beside him. She was so perfectly still that she didn't move a fin.

Kimo and Ilani were matched as Spirit Keepers. They looked at one another, then back to the teacher and both asked, "What is a Spirit Keeper?"

Kumu Humu smiled and explained, "Being a Spirit Keeper means you care for me and I care for you. We are all connected. It's called the Aloha Spirit."

—ɯ—

"¡Congelados!", gritó de pronto Kumu Humu. Kimo era excelente en el juego de los congelados. No movió ni un solo bigote. Otra campista, la Ballena Ilani, estaba junto a él. Ella también estaba tan perfectamente quieta que no movió ni una sola aleta.

Kimo e Ilani fueron elegidos como los Guardianes del Espíritu. Al saberlo, ellos se miraron uno a la otra, luego volvieron su vista al maestro y preguntaron: "¿Qué es un Guardián del Espíritu?".

Kumu Humu sonrió y explicó: "Ser un Guardián del Espíritu significa que tú me cuidas a mí y yo te cuido a ti. Todos estamos conectados. A eso lo llamamos el Espíritu Aloha".

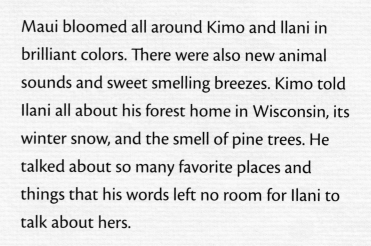

Maui bloomed all around Kimo and Ilani in brilliant colors. There were also new animal sounds and sweet smelling breezes. Kimo told Ilani all about his forest home in Wisconsin, its winter snow, and the smell of pine trees. He talked about so many favorite places and things that his words left no room for Ilani to talk about hers.

—◁w▷—

En Maui todo floreció alrededor de Kimo y de Ilani en colores brillantes. Tambien habían nuevos sonidos de animales, y agradables y suaves brisas. Kimo le contó a Ilani todo acerca de su casa en un bosque de Wisconsin, le habló de su invernal nieve y del olor de los pinos. Habló de tantos lugares y de tantas cosas favoritas que sus palabras no le permitieron a Ilani contar nada.

One morning, Kimo found Ilani on the beach with Auntie Honu, an ancient sea turtle. In Maui, women elders are called aunties, out of respect. She greeted Kimo with slow words that floated to him like a song. Auntie Honu said she swam the ocean for 100 years to get a voice like that.

"How are you, Kimo?" Auntie Honu asked. Kimo told her about meeting the red-crested cardinal and the bushy tailed mongoose while he ate pineapple and papaya for breakfast. Auntie Honu nodded, pleased. "You're having a wonderful time at Jamboree Camp!" she said.

Una mañana, Kimo encontró a Ilani en la playa con la tía Honu, una tortuga marina muy anciana. En Maui, las ancianas son llamadas tías, por respeto. Ella saludó a Kimo con palabras dichas tan lentamente que parecían como si una canción flotara hasta él. La tía Honu dijo que nadó en el océano durante 100 años para llegar a tener una voz así.

"¿Cómo estás, Kimo?", preguntó la tía Honu. Kimo le contó que había tenido un encuentro con el cardenal de cresta roja y con la mangosta de tupida cola mientras desayunaba piña y papaya. La tía Honu asintió con la cabeza, complacida. "¡Te estás divirtiendo mucho en el Campamento Jamboree!", dijo.

Kimo smiled at Auntie Honu and at Ilani, but his friend seemed quiet, staring far out to where the sky and ocean crease. Kimo turned worried eyes to Auntie Honu. "Spirit Keepers try to listen as much as they share," Auntie Honu said sweetly. "I bet Ilani could use a great listener right now." Auntie Honu scratched Kimo behind his ear, patted Ilani on her side and tottered away.

—ᨠ—

Kimo sonrió a la tía Honu y a Ilani, pero su amiga estaba muy callada, solo miraba hacia donde el cielo y el océano se juntan en el horizonte. Kimo miró con preocupación a la tía Honu. "Un Guardián del Espíritu trata de oír tanto como habla", dijo dulcemente la tía Honu. "Apuesto que a Ilani le gustaría mucho tener a alguien que la oyera con atención en este momento." La tía Honu rascó cariñosamente a Kimo detrás de la oreja, le dio un suave golpecito a Ilani y se alejó balanceándose.

 To learn more about how different animals move and communicate, turn to page 34.

Para aprender más sobre como se mueven diferentes animales vaya a la página 34.

Kimo scooted closer, and Ilani leaned against her friend. "Your forest and family in Wisconsin sound amazing, Kimo!" she exclaimed. "I have so many things to tell you about my ocean home, but I don't know where to start."

Kimo felt his mouth fall open. "The ocean is your home?" he asked, astounded. Ilani grinned and began to tell Kimo all about her bedroom in the deep waters and her school near the coral reefs. She bragged about the seal, octopus, and turtle, who were her best friends.

And then she blurted out, "I'm going to be a big sister soon!"

Kimo se acercó más a Ilani y ella se acomodó junto a su amigo. "Tu bosque y tu familia en Wisconsin son increíbles, Kimo", exclamó. "Yo también tengo muchas cosas que contarte sobre mi casa en el océano, pero no sé por dónde empezar."

Kimo sintió que la boca se le abría. "¿El océano es tu casa?", preguntó asombrado. Ilani sonrió y comenzó a contarle a Kimo todo acerca de su dormitorio en las aguas profundas y de su escuela cerca de los arrecifes de coral. También presumió que la foca, el pulpo y la tortuga eran sus mejores amigos.

Y de pronto soltó algo más: "¡Voy a convertirme en hermana grande muy pronto!"

To learn more about Maui's ocean habitat, turn to page 35.

Para aprender más sobre el hábitat oceanico de Maui vaya a la página 35.

23

Suddenly, Ilani squealed. She leapt up onto the tip of her tailfin and pointed far out across the blue. "They're here!" Kimo jumped up too, squinting his eyes to make out the stampede of waves coming their way.

—⌇⌇—

De repente, Ilani resopló. Dio un gran salto y con la punta de su cola señaló hacia algo lejos en el azul del mar. "¡Ya llegaron!", dijo. Kimo brincó también, apretando los ojos para distinguir mejor la estampida de olas que venía hacia ellos.

 To learn more about humpback whales, turn to page 36

Para aprender más sobre las ballenas jorobadas, vaya a la página 36.

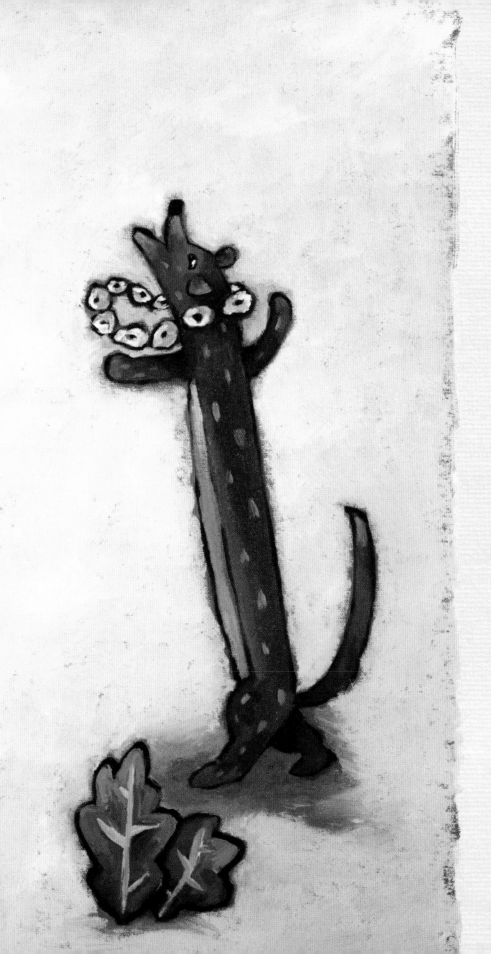

"My mama and new baby brother are finally here!" Ilani said. One by one, Auntie Honu, Kumu Humu, and all the camp pals joined Kimo and Ilani on the beach. Ilani explained that, in Maui, family includes more than relatives. "It's called *ohana*," she said as all of Jamboree Camp danced, hugged, and laughed together, celebrating Ilani's new brother. "*Ohana* means we all are family."

—ᴍ—

"¡Mi mamá y mi nuevo hermanito llegaron por fin!", dijo Ilani. Uno por uno, la tía Honu, Kumu Humu y todos los otros compañeros del campamento se unieron a Kimo e Ilani en la playa. Ilani explicó que, en Maui, la familia incluye más que familiares. "A eso se le llama *ohana*", dijo mientras todo el Campamento Jamboree bailaba, se abrazaba y reía, celebrando al hermanito de Ilani. "*Ohana* significa que todos somos familia".

 To learn more about the meaning of *ohana*, turn to page 37.

Para aprender más sobre el significado de *ohana* vaya a la página 37.

27

"I guess I talk a lot," Kimo admitted, once the campers had gone.

"No kidding!" Ilani teased, bumping him playfully. "Your stories are cool, so I don't mind," she said. "Besides, when I was ready to talk, you were ready to listen. You are the best Spirit Keeper and friend. *Mahalo*. That means thank you."

—m—

"Creo que hablo mucho", admitió Kimo cuando los otros campistas ya se habían ido.

"¡No me digas!", bromeó Ilani, golpeándolo juguetonamente. "Tus historias son geniales, así que no me importa", dijo. "Además, cuando yo estuve lista para contar mis historias, tú estuviste listo para escucharme. Fuiste el mejor Guardián del Espíritu y el mejor amigo. *Mahalo*. Eso significa gracias".

Kimo stayed on the beach watching Ilani and her family splashing around in wide circles. Kimo was so happy for Ilani. It felt like he had a new little brother, too. Kimo remembered Kumu Humu's words, "You care for me. I care for you." He felt connected to Ilani and all his new friends in Maui. Kimo was filled with the Aloha Spirit!

—⁓—

Kimo se quedó en la playa viendo como Ilani y a su familia chapoteaban en grandes círculos. Kimo estaba muy feliz por Ilani. Sentía como si él hubiera tenido un nuevo hermanito también. Kimo recordó las palabras de Kumu Humu: "Tú me cuidas a mí. Yo te cuido a ti." Se sintió conectado con Ilani y con todos sus nuevos amigos de Maui. ¡Kimo estaba lleno del Espíritu Aloha!

31

Where in the world do you live?
Where have you visited?

¿En qué parte del mundo vives? ¿Qué otras partes has visitado?

Maui is a place with ocean water all around it. It is called an island. It is part of a group of islands that make up the state of Hawaii.

Maui es un lugar con agua oceánica a su alrededor. Eso se llama una isla. Maui es parte del grupo de islas que componen el estado de Hawái.

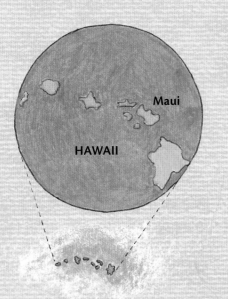

WISCONSIN

Maui

HAWAII

Fishing is important to people who live both in Hawaii and Wisconsin. Hawaiian fishermen catch fish from the ocean. Wisconsin fishermen catch fish from many lakes and rivers. In the winter months of Wisconsin, people still find a way to fish through holes in the icy tops of lakes!

La pesca es importante para las personas que viven tanto en Hawái como en Wisconsin. Los pescadores hawaianos pescan en el océano. Los pescadores de Wisconsin capturan peces en muchos lagos y ríos que son parte del estado. ¡En Wisconsin, aun en los fríos meses de invierno, la gente encuentra la manera de pescar a través de agujeros hechos en la superficie congelada de los lagos!

Wisconsin is a state with land mostly around it and fresh water to the east and part of the north. Like most places in the United States, it is not an island.

Wisconsin es un estado que principalmente tiene tierra alrededor de él, pero también tiene agua fresca en las partes este y norte. ¡Como la mayoría de los lugares en los Estados Unidos, no es una isla!

The Hawaiian Islands were formed by volcanoes and have many beaches.

Las islas hawaianas se formaron de volcanes y tienen muchas playas.

A beach is usually a sandy place where water and land meet. Hawaii has beaches by the ocean. Wisconsin has beaches by lakes. Some Hawaiian beaches even have red, green, or black sand!

Una playa es usualmente un lugar arenoso donde el agua y la tierra se juntan. Hawái tiene playas junto al mar. Wisconsin tiene playas junto a los lagos. Algunas playas Hawaianas hasta tienen arena colorada, verde, o negra!

A volcano is a mountain with a hole at the top. Hot melted rock and gas under the ground sometimes erupts from the hole like a big burp!

A volcano named Loihi has been oozing hot rock at the bottom of the ocean for hundreds of years and will one day reach the ocean surface to become a new Hawaiian island.

Un volcán es una montaña con un agujero en la parte de arriba. Las rocas calientes derretidas que hay dentro del agujero a veces pueden juntarse con los gases que hay bajo de la tierra, ¡entonces las rocas estallan y salen del volcán como una exhalación o un eructo muy grande!

Un volcán de Hawái llamado Loihi, situado en el fondo del mar, ha estado exhalando rocas calientes derretidas durante cientos de años; un día, esa erupción subirá a la superficie del océano para convertirse en una nueva isla hawaiana.

What are some animals you know?

¿Cuáles son algunos de los animales que conoces?

There are so many amazing ways to be an animal!

All animals eat, move and communicate, but they do these things in different ways.

¡Hay tantas maneras increíbles de ser animal! Todos los animales comen, se mueven y se comunican, pero hacen estas cosas de manera diferente.

Living things communicate with each other. Humans use words, wolves howl, male whales sing and turtles click.

Todos los seres vivos se comunican entre sí. Los humanos hablan; los lobos aúllan; las ballenas macho cantan; y las tortugas chascan.

Living things move in many different ways! They leap. They crouch. They swoop, swim and scurry. They climb. They waddle. They dig and build. They curl into quiet balls and sleep.

¡Los seres vivos se mueven en muchas formas diferentes! Ellos brincan o se agachan. Caminan, nadan o se escurren. Ellos escalan. Se tambalean. Ellos cavan o construyen. Se enroscan.

All living things have their favorite things to eat. Some living things eat only plants and seeds. Some eat only meat. Some living things eat everything. Whales can go months without eating their favorite meal — a tiny creature called krill.

Todos los seres vivos tienen sus cosas favoritas para comer. Algunos sólo comen plantas o semillas. Otros sólo comen carne. Algunos comen de todo. Las ballenas pueden pasar meses sin comer su comida favorita — un pequeño pez llamado krill.

Where is your home or shelter?
How does it protect you?
¿Dónde está tu casa o refugio? ¿Cómo te protege?

How would the ocean protect these living creatures? ¿Cómo protege el océano a estos seres vivos?

Monk Seal

Foca Monje

Fish and Coral Reefs

Peces y arrecifes de coral

Sea Turtle

Tortuga marina

Humpback Whales

Ballenas jorobadas

How have you changed as you've grown?

¿Cómo has cambiado mientras has ido creciendo?

Living things change and grow. At about ten months, whale calves begin to eat on their own and human babies begin to crawl.

Los seres vivos cambian y crecen. Alrededor de los diez meses, las vaquitas o terneros comienzan a comer por sí mismos y los bebés empiezan a gatear.

Human Life Cycle / Ciclo de vida humano

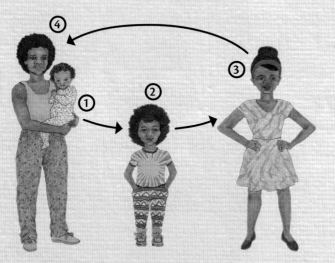

Whale Life Cycle / Ciclo de vida de las ballenas

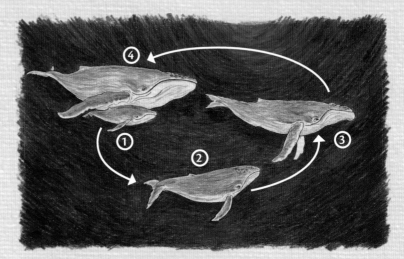

All mammals have backbones, warm bodies, fur or hair, and drink milk from their mothers.

Todos los mamíferos tienen espina dorsal, sangre caliente, pelaje o pelo, y beben leche de sus madres.

Whales live in the ocean but they are not fish! Like humans, whales are called mammals.

¡Las ballenas viven en el océano, pero no son peces! Al igual que los seres humanos, las ballenas se llaman mamíferos.

Humpback whales swim 6,000 miles round trip in order to give birth to baby calves in warm Hawaiian waters.

More than 10,000 humpback whales migrate to Hawaii during the winter months for birthing season.

Las ballenas jorobadas nadan 6,000 millas de ida y vuelta para darle luz a sus bebés en las aguas tibias de Hawái.

Más de 10,000 ballenas jorobadas emigran a Hawái durante el invierno para la temporada de nacimientos.

What is the Aloha Spirit?
What is Ohana?
¿Qué es el Espíritu Aloha? ¿Qué es Ohana?

The Aloha Spirit is a joy that everyone can feel when we are kind to one another. The Aloha Spirit is an important part of Hawaiian culture!

El Espíritu Aloha es la alegría que todos podemos sentir cuando somos amables unos con otros. ¡El Espíritu Aloha es una parte muy importante de la cultura hawaiana!

Ohana means we are connected to all of our neighbors, relatives and friends. In Hawaii, Ohana means we are all family.

Ohana significa que todos estamos conectados; estamos conectados con nuestros vecinos, parientes y amigos. En Hawái, Ohana significa que todos somos familia.

Lynda Kohler and students from Victory K8 and Milwaukee Italian Immersion School.

Lynda Kohler y alumnos de Victory K8 y Milwaukee Italian Immersion School.

Janet Davis, Cameron Nelson and Andrea Schloemer

Janet Davis, Cameron Nelson y Andrea Schloemer

What is a Menehune?

In Hawaiian folklore, menehunes are described as mischievous little people who are never seen. It is believed that they come out at night and work together as a team, building large and small projects. They are thought of as "little tricksters" who are blamed when something cannot be explained. If grown ups can't find their keys they might say, "Oh, the menehunes must have moved them!"

En el folclore hawaiano, los menehunes son unos seres pequeñitos que nunca se dejan ver. Se cree que salen por la noche para trabajar juntos como equipo en proyectos grandes y pequeños. Se considera que estos seres son unos "pequeños traviesos", a quienes se les culpa cuando algo no tiene explicación. Por ejemplo, cuando los adultos no encuentran sus llaves, pueden decir: "¡Oh, los menehunes deben haberlas movido!"

What do you want to know about Hawaii?

¿Qué quieres saber de Hawái?

Hawaii is a state with two official languages — Hawaiian and English. The Hawaiian alphabet has just 12 letters. Big words are still possible with fewer letters.

Hawái es el único estado con dos idiomas oficiales: hawaiano e inglés. El alfabeto hawaiano tiene sólo 12 letras. Las palabras grandes en hawaiano son posibles con menos letras.

A B C D E F G H I
J K L M N O P Q R
S T U V W X Y Z

In Hawaii, children are called **keiki**!

¡En Hawái, a los niños se les llama **keiki**!

The character Kumu Humu is Hawaii's smallest fish whose full name is **humuhumunukunukuapuaa**! That's a long name for a little fish!

El personaje de Kumu Humu es el pez más pequeño de Hawái, ¡cuyo nombre completo es **humuhumunukunukuapuaa**! ¡Ese es un nombre muy largo para un pez tan pequeño!

Power Words   *Palabras Poderosas*

Learning new words is a great way to become a better reader, writer and thinker! Here are some important words to practice and use when you are discovering all about living things. You can build on what you know about these words in many ways. Here are some ideas to try!

• Be a teacher and describe the word to a family member or friend.

• Be an artist and draw a picture of the word.

• Be an author and tell a story using the word.

• Be an actor and act out the word.

Animal *Animal*	**Depend** *Depender*	**Nonliving** *Sin vida*	**Still** *Todavía*
Body *Cuerpo*	**Human** *Humano*	**Protect** *Proteger*	**System** *Sistema*
Change *Cambio (noun); Cambiar (verb)*	**Living** *Con vida*	**Responsibility** *Responsabilidad*	**World** *Mundo*
Connect *Conectar*	**Move** *Movimiento (noun); Mover (verb)*	**Shelter** *Refugio*	

¡Aprender nuevas palabras es una gran manera de convertirse en un buen lector, escritor y pensador! Aquí hay algunas palabras importantes para practicar y usar cuando se está descubriendo todo sobre los organismos con vida. Tú puedes ampliar lo que sabes acerca de estas palabras de muchas maneras. ¡Aquí hay algunas ideas para probar!

• Sé un maestro y describe la palabra a un miembro de la familia o amigo.

• Sé un artista y haz un dibujo de la palabra.

• Sé un escritor e inventa un cuento usando la palabra.

• Sé un actor y actúa la palabra.

"A Hui Hou!" means "See you later!" in Hawaiian. Flip the book to Part 2 to read about how the story continues even after our friend the wolf goes home to Wisconsin.

"A Hui Hou!" quiere decir "¡Hasta luego!" en Hawaiano. Dale vuelta al libro hacia la Parte 2 para leer sobre cómo continua el cuento después de que nuestro amigo el lobo vuelve a casa en Wisconsin.

Kimo Wolf lived in a forest among the tall evergreen trees. One morning, he looked up past snow-coated branches to see new spring clouds dotting the wide sky. The end of one season was greeting the beginning of another, and Kimo couldn't wait to share the day with his friends.

He tidied his bed of leaves, neatly stacked his collection of pine cones and stick toys and hurried through his breakfast. "You're excited this morning, Jimmy," his mother said with a smile. She liked his Hawaiian nickname, but preferred the name she'd given him. "Have fun with your friends. See you at lunchtime!"

—w—

El lobo Kimo vivía en un bosque de árboles muy altos cuyas hojas eran siempre verdes. Una mañana, miró hacia arriba y vio que, más allá de las ramas cubiertas de nieve, las nubes de la recién llegada primavera salpicaban el ancho cielo. El final de una estación saludaba el comienzo de otra, y Kimo no podía esperar a pasar el día de primavera con sus amigos.

Tendió muy bien su cama de hojas, cuidadosamente arregló su colección de conos de pino, ramas y varas, y rápidamente terminó su desayuno. "Estás emocionado esta mañana, Jimmy" dijo su mamá con una sonrisa. A ella le gustaba el apodo hawaiano que le habían dado a su hijo en Maui, pero prefería el nombre que ella le había puesto. "Diviértete con tus amigos. ¡Nos vemos a la hora de la comida!"

Aloha Adventure

A STORY OF TWO FRIENDS

PART 2:
Ashland, Wisconsin

Contents

Information Section 24

What is a habitat? 24

What is climate? 25

How do animals and plants adapt to their environments? . . . 26

What are some different types of seeds? 27

How do trees and flowers grow? 28

What do you want to know about Wisconsin? 30

Power Words 31

Kimo walked silently through his forest home, following the trees until he reached the river. He sat down and turned on his tablet. One, two, three clicks, and his tablet made a "ding" sound. His friend Ilani Whale, filled the screen.

"Aloha, Kimo!" she exclaimed. Ilani and Kimo were great friends who happened to live far apart. He lived in the woods of Ashland, Wisconsin, and she spent her winters in the ocean near Maui, Hawaii.

—~m~—

Kimo caminó en silencio a través del bosque donde estaba su casa, siguiendo los árboles hasta que llegó al río. Se sentó y prendió su tableta. Uno, dos, tres clics, y su tableta sonó "ding". Su amiga Ilani, la ballena, apareció en pantalla.

"¡Aloha Kimo!" exclamó. Ilani y Kimo eran grandes amigos, pero vivían lejos uno del otro. Él vivía en los bosques de Ashland, Wisconsin, y ella pasaba los inviernos en el océano cerca de Maui, Hawai.

To learn more about Wisconsin's forest habitat, turn to page 24.

Para aprender más sobre el hábitat forestal de Wisconsin vaya a la página 24.

"What are you showing me today, Kimo?" Ilani asked. Kimo turned his tablet to show Ilani the thawing winter forest.

"Two seasons are happening at the same time!" Kimo said. He zoomed in on a soft green stem peeking through a spot where the ground showed more soil than snow.

"SNOW!" Ilani squealed. Her Maui home was warm with summertime weather all year. Kimo laughed and pointed the tablet toward the river. He walked Ilani along the riverbank, the snow crunching beneath his steps.

———m———

"¿Qué me vas a enseñar hoy, Kimo?" preguntó Ilani. Kimo giró su tableta para mostrarle a Ilani la nieve del invierno derritiéndose en el bosque.

"¡Dos estaciones están pasando al mismo tiempo!" dijo Kimo. Enfocó la cámara de su tableta en una plantita verde que había brotado en un lugar donde ya había más tierra que nieve.

"¡NIEVE!" exclamó Ilani. Su casa de Maui tenía un cálido clima de verano todo el año. Kimo se rió y apuntó la tableta hacia el río. Mientras caminaba le iba mostrando a Ilani la orilla del río; la nieve crujía bajo sus pasos.

Wisconsin forest at the end of winter

Bosque de Wisconsin al fin del invierno

Frost on a plant at the beginning of spring in Wisconsin

Escarcha sobre una planta al principio de la primavera en Wisconsin

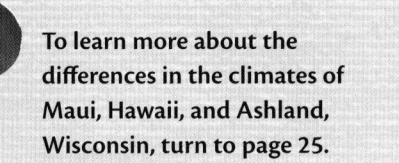

To learn more about the differences in the climates of Maui, Hawaii, and Ashland, Wisconsin, turn to page 25.

Para aprender más sobre la diferencia de climas entre Maui, Hawaii y Ashland, Wisconsin vaya a la página 25.

The river tumbled by slowly, glittering with morning sunlight. "The ice melts and the river flows when winter changes to spring," Kimo explained.

"What's going on over there?" Ilani asked. Some of Kimo's friends were gathered at the river edge. César Cardinal, Deondre Deer and Braxton Beaver waved when Kimo showed them Ilani's face on his tablet. Kimo had connected his island friends and his woodland friends with a video chat many times.

"Hey, Ilani," they all greeted.

"Aloha, everybody," Ilani replied. "Kimo is showing me winter and spring on the same day."

———

El río corría lentamente, brillando resplandeciente con la luz de la mañana. "El hielo se derrite y el río fluye más cuando el invierno cambia a primavera," explicó Kimo.

"¿Cómo están todos por allá?" preguntó Ilani. Algunos de los amigos de Kimo estaban reunidos a la orilla del río. El cardenal César, el venado Deondre y el castor Braxton saludaron a Ilani cuando Kimo les mostró la cara de su amiga en la tableta. Kimo había conectado a sus amigos de la isla con sus amigos del bosque en vídeo chat muchas veces.

"Hola Ilani," saludaron todos.

"Aloha todo mundo" contestó Ilani. "Kimo me está mostrando el invierno y la primavera en el mismo día."

Melting Wisconsin river at the beginning of spring

Río de Wisconsin derritiendo al principio de la primavera

Deondre said, "This is the time of year when we watch the snow melt *and* the flowers grow." Kimo pointed the camera at the wisp of green stretching up from the earth again. Deondre bounded into the photo and shouted, "Selfie time!" The other animals laughed.

—⟋⟍—

Deondre dijo: "Esta es la época del año cuando vemos que la nieve se derrite al mismo tiempo que las flores crecen." Kimo apuntó otra vez su cámara al delicado brote de la plantita verde que estaba surgiendo de la tierra. Deondre se metió en la foto y gritó, "¡Hora de una selfie!" Los otros animales se rieron.

 To learn more about how plants and animals adapt to Wisconsin's changing seasons, turn to page 26.

"This little sprout has been waiting patiently inside a seed all winter," Kimo explained. "It will bud to become a wood violet, the official Wisconsin state flower." Kimo tapped a few keys to bring an image onto the screen.

Ilani said, "Oooh! That's pretty. Our state flower, the hibiscus, blooms all year."

—⦿—

"Esta plantita ha estado esperando pacientemente adentro de una semilla durante todo el invierno," explicó Kimo. "Florecerá y se convertirá en una violeta de bosque, la flor oficial del Estado de Wisconsin." Kimo picó su teclado varias veces para poner una imagen en la pantalla.

Ilani dijo, «¡Oooh! Es muy bonita. La flor de nuestro estado es el hibisco, florece todo el año».

Wood Violet

Violeta dulce

Hibiscus

Hibisco

To learn more about seeds, turn to page 27.

Para aprender más sobre semillas vaya a la página 27.

11

César hopped closer to the screen, excitedly spread his wings wide and said to Ilani, "Spring is also the time when worms taste the best!" The other animals groaned.

"My friend, Kai, loves worms, too!" Ilani replied. "You are both cardinals. Some Hawaiian cardinals wear red feathers on their crests. Wisconsin cardinals wear red feathers all over." César hopped up and down, chirp chirping at the screen.

—m—

César dio brinquitos para acercarse más de la pantalla, con entusiasmo extendió ampliamente sus alas y le dijo a Ilani, "¡La primavera también es la época cuando los gusanos saben mejor!" Los otros animales gimotearon.

"¡A mi amigo Kai también le gustan los gusanos!" respondió Ilani. "Ustedes son pájaros cardenales. Algunos cardenales hawaianos tienen plumas rojas en las crestas. Los cardenales de Wisconsin tienen plumas rojas por todos lados." César saltó de aquí para allá, trinando en la pantalla.

12

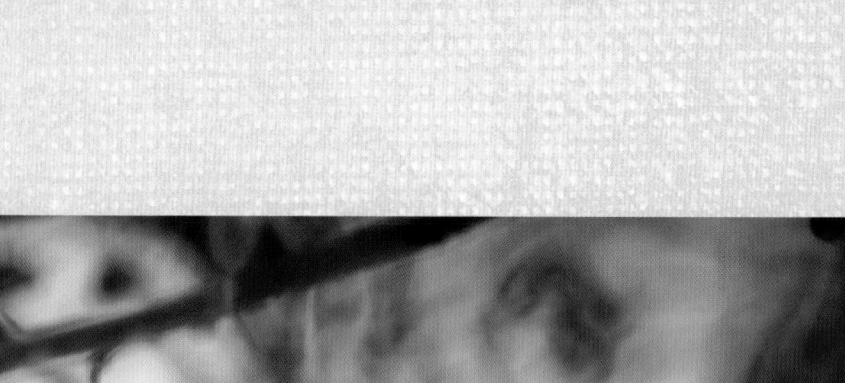

Cardinal in Wisconsin

Cardenal en Wisconsin

Cardinal in Hawaii

Cardenal en Hawaii

Kimo stopped to admire the beginning of a nest. Ilani leaned her face close to see its tangle of twigs, stems and leaves. "Another kind of animal. Another kind of home," she said.

"So many animals have homes at the edge of the forest," Kimo said. "It's near a cranberry marsh that grows nearby. Cranberry farmers have been careful neighbors to the animals and to the land. The marsh comes to life this time of year. It's one of my favorite spring places." Kimo searched online for an image of cranberry buds in the spring marsh and posted, "#springtime."

Ilani liked the pictures and typed, "Thoughtful neighbors are the best neighbors."

Cranberry blossoms

Flores de arándano

—m—

Kimo se detuvo a admirar un nido que algunos pájaros empezaban a construir. Ilani acercó su cara a la pantalla para ver el nudo trenzado de ramitas, tallos y hojas. "Otra clase de animal. Otra clase de hogar" dijo.

"Muchos animales tienen sus casas al borde del bosque", dijo Kimo. "Este rincón del bosque se encuentra próximo a una ciénaga de arándanos que crece muy cerca. Los agricultores de arándanos son vecinos muy considerados respecto a los animales y la tierra. La ciénaga cobra vida en esta época del año. Es uno de mis lugares favoritos durante la primavera". Kimo buscó en línea imágenes de la ciénaga con brotes de arándano durante la primavera y publicó "#springtime".

A Ilani le gustaron las fotos y escribió en su tableta: "Los vecinos considerados son los mejores vecinos".

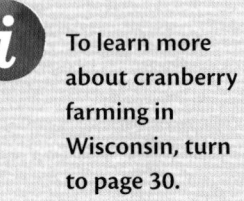

To learn more about cranberry farming in Wisconsin, turn to page 30.

Para aprender más sobre el cultivo de arándanos en Wisconsin vaya a la página 30.

15

The friends followed the curve of the forest until they reached a stack of logs and dirt. Tucker Badger lived here in a tunnel home called a sett. Kimo and Ilani were giggling loudly when Tucker poked his head through a hole in a thick mound of dirt.

"Shhhhh," he said, squinting his eyes at the daylight. Tucker and his badger family were nocturnal, which meant they slept when most animals were awake. Tucker noticed Ilani on the screen. "Morning," he whispered. "What are you two up to?"

—ɯɯ—

Los amigos siguieron caminando por el bosque hasta llegar a una pila de leños y tierra. El tejón Tucker vivía allí dentro, en un túnel llamado madriguera. Kimo e Ilani se rieron estrepitosamente cuando, de pronto, Tucker asomó la cabeza por entre el montón de tierra espesa.

"Shhhh" dijo, entrecerrando los ojos debido a la luz del día. Tucker y su familia de tejones eran animales nocturnos, lo que significa que ellos duermen mientras la mayoría de los animales están despiertos. Tucker vio a Ilani en la tableta de Kimo. "Buenas," susurró. "¿Qué andan haciendo ustedes dos?"

"Aloha, Tucker," Ilani said. "Kimo is showing me the signs of spring in Wisconsin." A rapidly tapping sound echoed from deep inside the forest.

"Woodpeckers," Tucker said, yawning. "They use their beaks to peck holes in the maple trees. That's my noisy sign of spring."

Tucker rubbed his sleepy eyes, waved goodnight and lowered himself back down into his home. As they walked, Kimo whispered to Ilani, "For beetles, birds and even humans, a noisy woodpecker means delicious maple sap. It looks and tastes like liquid sunshine!"

—⁂—

"Aloha Tucker," dijo Ilani. "Kimo me está mostrando las señales de llegada de la primavera en Wisconsin." De pronto, el sonido de un rápido golpeteo hizo eco desde lo más profundo del bosque.

"Pájaros carpinteros", dijo Tucker, bostezando. "Ellos usan sus picos para hacer agujeros en los árboles de arce. Ésa es mi ruidosa señal de primavera".

Tucker se frotó los ojos, soñoliento, dio las buenas noches y bajó de regreso hacia su casa. Mientras caminaba Kimo le susurró a Ilani, "Para los escarabajos, las aves e incluso para los seres humanos, un ruidoso pájaro carpintero significa una rica miel de arce. ¡Parece y sabe a luz de sol líquida!"

i To learn more about maple sap becoming syrup, turn to page 29.

Para aprender más sobre miel de maple vaya a la página 29.

Woodpecker and maple tree in Wisconsin

Pájaro carpintero y arbol de arce en Wisconsin

"Your forest trees remind me of the coral reefs growing here in the ocean," Ilani said. She turned her screen to show Kimo the stretch of coral that carpeted her ocean floor. "Forest trees give animals food, protection, and homes the same way coral reefs help jellyfish, crabs and hundreds of fish families."

As they walked on, both Kimo and Ilani admired the vivid images on their screens. "I have an ocean of blue waters," Ilani finally said, "and you have a land of green pine needles." They laughed from their bellies. Kimo was glad to have Ilani as his friend.

—⚬—

"Tus árboles forestales me recuerdan a los arrecifes de coral que crecen aquí en el océano," dijo Ilani. Ella giró la pantalla de su tableta para mostrar a Kimo la alfombra de corales al fondo de su océano. Los árboles forestales dan comida, protección y casa a los animales, de la misma manera que los arrecifes de coral ayudan a las medusas, los cangrejos y a cientos de familias de peces".

Mientras continuaban caminando, Kimo e Ilani admiraban las impresionantes imágenes en sus pantallas. "Yo tengo un océano de aguas azules", dijo Ilani finalmente, "y tú tienes una tierra de pinos verdes." Se rieron a carcajadas. Kimo estaba contento de tener a Ilani como amiga.

Coral reef and turtles near Hawaii

Arrecife de coral y turgugas cerca de Hawaii

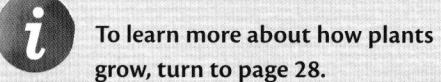

To learn more about how plants grow, turn to page 28.

Para aprender más sobre como crecen las plantas vaya a la página 28.

Wisconsin forest

Bosque en Wisconsin

"It's wonderful to see your forest family taking care of the river, the plants, the marsh fields and each other," Ilani said. "Here, we call it the Aloha Spirit!"

Kimo remembered his special trip to Maui and felt a tiny smile inside his heart. He thought about their conversation and said, "Taking care of our families and our land — that's the Wisconsin way." The two friends nodded in agreement and "ding" disconnected.

Kimo looked up through the snowy branches. The sun was shining down on him. The spring morning with his friends had made his entire day feel bright!

—◆—

"Es maravilloso ver a tu familia del bosque cuidando el río, las plantas, las ciénagas y cuidándose los unos a los otros" dijo Ilani. "¡Aquí llamamos a eso el espíritu Aloha!"

Kimo recordó su viaje tan especial a Maui y sintió una sonrisa en su corazón. Él pensó en la conversación que acababa de tener con Ilani y dijo: "Cuidar a nuestras familias y a nuestra tierra — es la manera de ser de Wisconsin". Los dos amigos asintieron y, "ding", se desconectaron

Kimo miró hacia arriba, a través de las ramas cubiertas de nieve. El sol brillaba y caía sobre él. ¡La mañana de primavera en compañía de sus amigos haría que se sintiera alegre todo el día!

What is a habitat?

¿Qué es un hábitat?

Wolves live in a forest habitat.

Lobos viven enun hábitat forestal de Wisconsin

When we think of forests, we think of trees. Trees are an important part of forests, but forests are also habitats for wolves, cardinals, deer, beavers, badgers and many other animals.

Cuando pensamos en bosques, pensamos en árboles. Los árboles son una parte muy importante de los bosques, pero los bosques también son hábitats para lobos, pájaros cardenales, venados, castores, tejones y muchos otros animales.

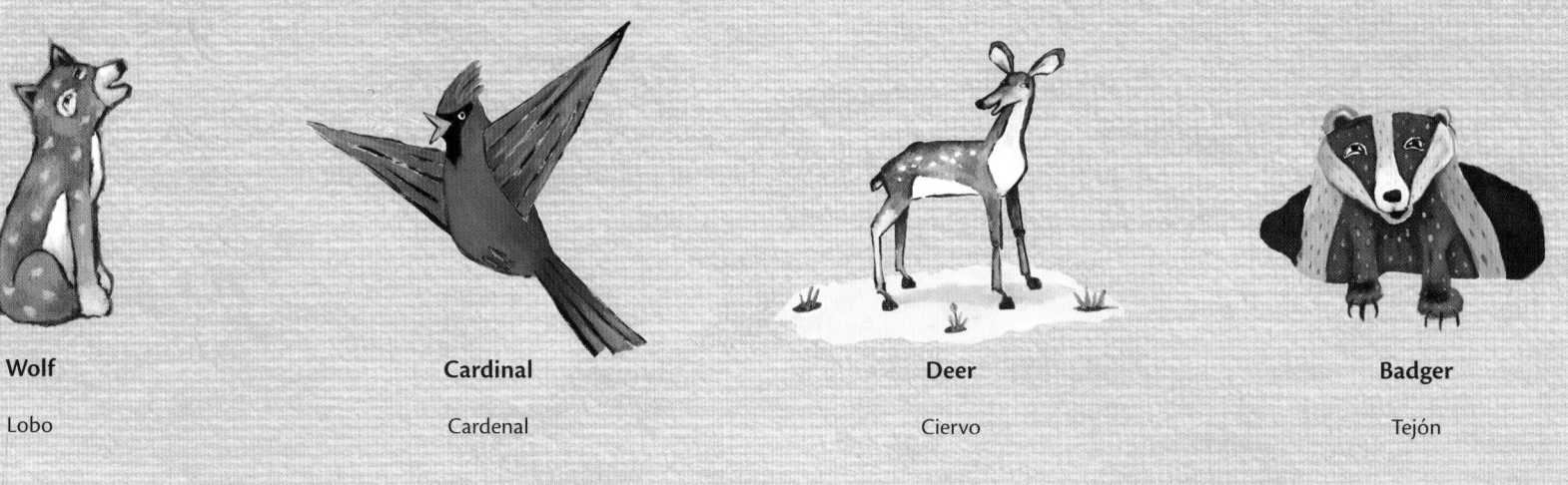

Wolf	**Cardinal**	**Deer**	**Badger**
Lobo	Cardenal	Ciervo	Tejón

What is climate?

¿Qué es el clima?

Temperature is an important part of climate.

La temperatura es una parte importante del clima.

Weather is fascinating and affects us all the time and every day. Weather can be sunny, cloudy, rainy, cold, snowy and lots more. We use the words temperature and precipitation to explain two big parts of weather. Temperature is how cold or hot it is outside. Precipitation is how much rain or snow we get.
Climate is what we call the weather in a place over a long period of time.

Maui, Hawaii, has a climate that is warm and sometimes rainy. Ashland, Wisconsin, has a climate with four seasons — spring, summer, fall and winter. During the seasons, the weather changes from warm to cold and even rainy to snowy.

Different types of plants grow in different climates.

El clima es facinante y nos afecta a todas horas y todos los días. El clima puede estar soleado, nublado, lluvioso, frío, nevado y mucho más. Usamos las palabras temperatura y precipitación para explicar dos grandes partes del clima. La temperatura es lo frío o caliente que está afuera. La precipitación es la cantidad de lluvia o nieve que cae.

Maui, Hawái, tiene un clima que es tibio y aveces lluvioso. Ashland, Wisconsin, tiene un clima con cuatro estaciones — primavera, verano, otoño e invierno. Durante las estaciones, el clima cambia de tibio a frío y de lluvioso a nevado.

Diferentes tipos de plantas crecen en diferentes climas.

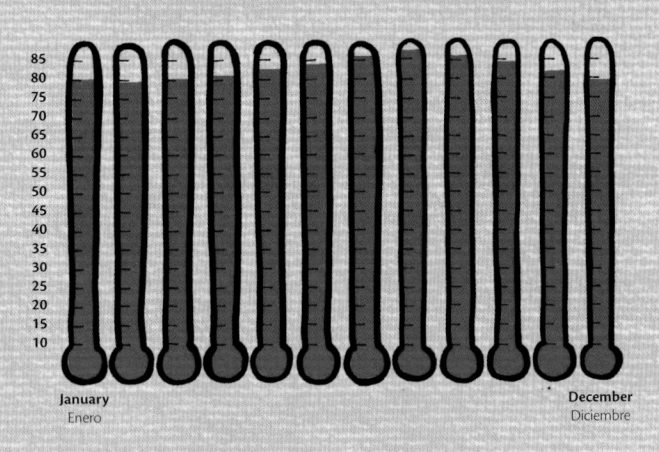

January
Enero

December
Diciembre

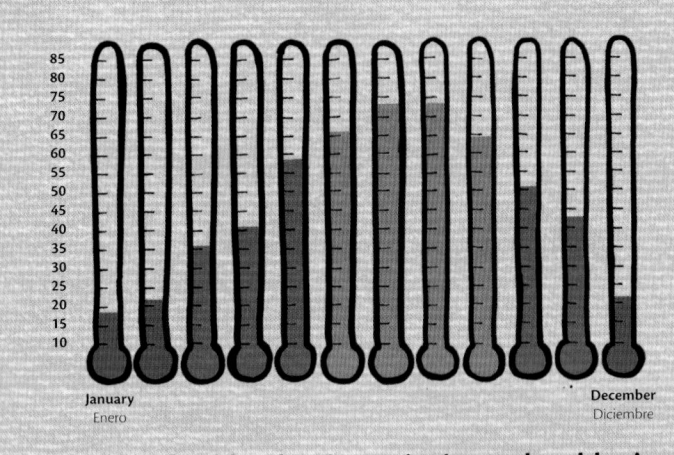

January
Enero

December
Diciembre

The tropical climate of Maui is warm all year.

El clima tropical de Maui es cálido todo el año.

The climate of Ashland, Wisconsin, is much colder in the winter than the summer and almost never as warm as Maui.

El clima de Ashland, Wisconsin, es mucho más frío en el invierno que en el verano y casi nunca es tan cálido como Maui.

Wisconsin plants are well adapted to live and grow with the changing seasons. When the weather is cool, plants begin to lose their leaves. When the weather is cold, the plants sleep safe in the ground, in seeds. They start to grow as the temperatures outside begin to rise. Once the weather is warm most of the time, the plants will sprout and later blossom.

Las plantas de Wisconsin están bien adaptadas para crecer y desarrollarse con estaciones cambiantes. Cuando el clima empieza a enfriar, las plantas comienzan a perder sus hojas. Cuando el clima se vuelve muy frío, las plantas se duermen y están a salvo en el suelo, en semillas. Luego comienzan a brotar cuando la temperatura afuera comienza a subir. Y una vez que el clima es cálido la mayor parte del tiempo, las plantas crecen y más tarde florecen.

How do animals and plants adapt to their environments?

¿Cómo se adaptan los animales y las plantas a sus ambientes?

Animals and plants are helpful neighbors. Plants rely on animals to help spread seeds and pollen. Animals need plants for food and shelter, even in the winter. When it's cold outside in Wisconsin, cardinals eat winter berries. Beavers use sticks, twigs and dry leaves to repair their lodge homes and wolves sleep on the snowy ground on beds of pine needles.

Los animales y las plantas son vecinos que se ayudan unos a otros. Las plantas dependen de los animales para propagar las semillas y el polen. Los animales necesitan de las plantas como alimento y refugio, incluso durante el invierno. Cuando hace frío en Wisconsin, los pájaros cardenales comen moras de invierno. Los castores usan palos, ramas y hojas secas para hacer o reparar sus casas y los lobos hacen sus camas de hojas y agujas de pino cuando el suelo está cubierto de nieve.

What are some different types of seeds?

¿Cuáles son algunos tipos diferentes de semillas?

Seeds come in different shapes. Very small seeds can become very large plants and trees.

Las semillas tienen formas diferentes. Las semillas muy pequeñas pueden convertirse en plantas y árboles muy grandes.

Pine cones remain closed until the seeds are ready for pollen.

Los conos de pino permanecen cerrados hasta que las semillas están listas para el polen.

Maple tree seeds are shaped like wings and spin like helicopters on their way to the ground.

Las semillas de maple tienen forma de alas y giran como helicópteros en su camino hacia el suelo.

Wood violet seeds are tucked inside small pods that grow beneath the dirt's surface.

Las semillas de violetas del bosque están adentro de vainas pequeñas que crecen bajo la superficie de la tierra.

How do trees and flowers grow?

¿Cómo crecen los árboles y las flores?

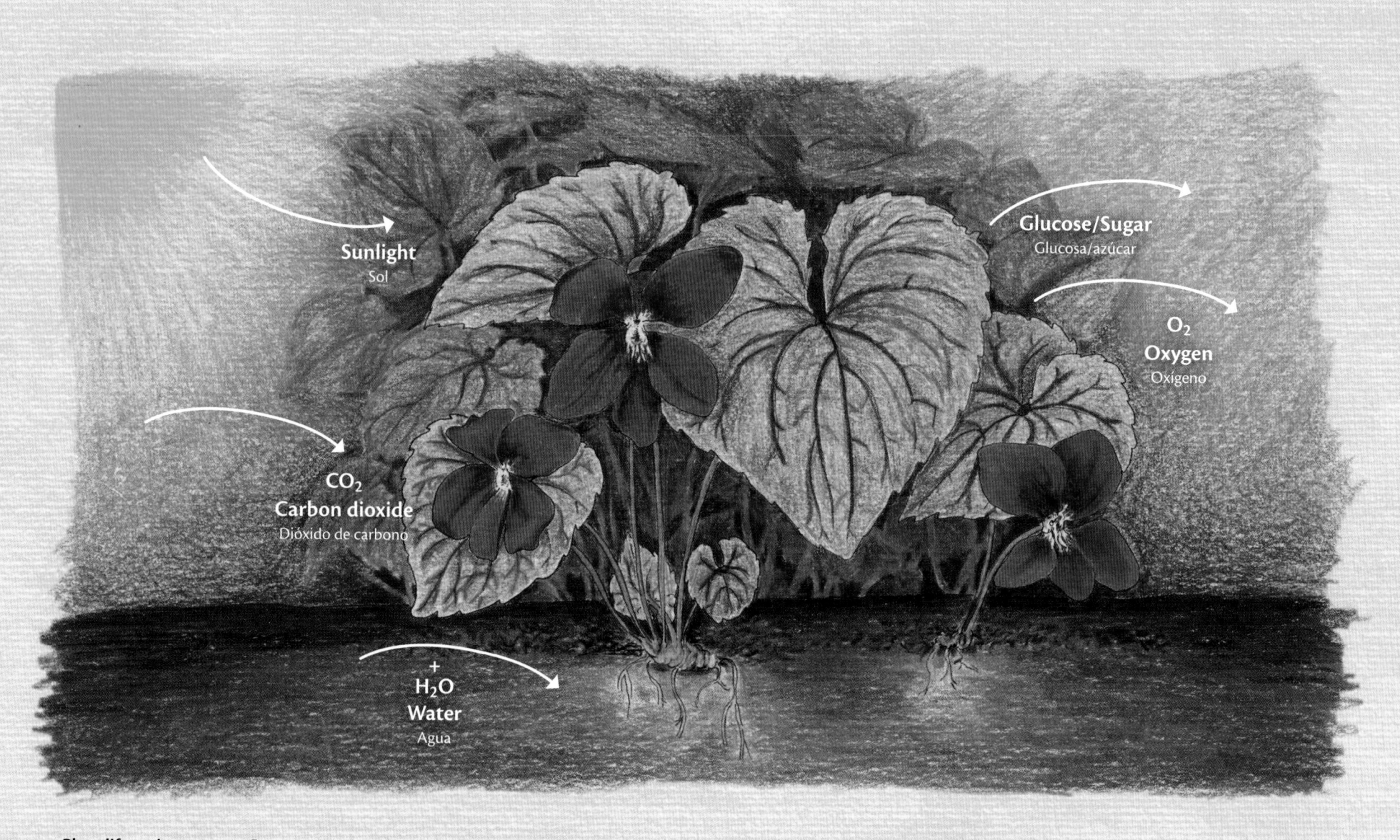

Plant life – plants, grass, flowers, vines, bushes and trees—all need sunlight. Some plants need lots of sunlight, and some only need a little. Plants store sunlight as energy, the same way humans build up energy from eating healthy food.

La vida de las plantas –las plantas, las hierbas, las flores, las viñas, los arbustos y los árboles- todos necesitan la luz del sol. Algunas plantas necesitan mucha luz de sol, y algunas sólo necesitan un poco. Las plantas almacenan la luz solar como energía, de la misma manera que los seres humanos acumulan energía al comer alimentos saludables.

From Sunlight to Syrup
Del sol a la miel de arce

Sap is a sticky fluid that carries water and nutrients to all the tree parts. By tapping a maple tree — drilling a small hole for a special kind of straw — we can collect sap in Wisconsin. We can boil the sap into syrup for pancakes or sugar for baking and candy. Yum! Liquid sunshine!

La savia es un fluido pegajoso que transporta agua y nutrientes a todas las partes del árbol. Cuando un árbol de arce se perfora — haciendo un agujero pequeño para meter un tipo especial de pajilla o popote — la savia en Wisconsin puede recogerse. Luego se la puede hervir para convertirla en miel para panqueques o en azúcar y dulces. ¡Yummi! ¡Sol líquido!

Tap to drain maple sap

Grifo para sacar miel de arce

Maple leaves turn bright colors in the fall.

Hojas de arce cambian a colores brillantes en el otoño

What do you want to know about Wisconsin?

¿Qué quieres saber de Wisconsin?

Wisconsin grows more cranberries than any other state! Cranberries grow on vines in sandy marshes.

After the cranberries are harvested, most are made into foods and drinks like sauces, jams, and juice. A small number are sold as fresh berries.

¡Wisconsin cultiva más arándanos que cualquier otro estado! Los arándanos crecen como vides o enredaderas en las ciénagas.

Después de cosechar los arándanos, la mayoría de ellos son convertidos en salsas, mermeladas y jugo. Un número muy pequeño se vende como fruta fresca.

Wisconsin fun doesn't end when temperatures drop or when snow falls. With a soft layer of cotton leggings and tees under our clothes, and with heavy winter coats and gear on top of our clothes, Wisconsin kids can play outside for much of the winter season. We play in the snow by sledding, skiing, riding toboggans and having snowball fights. When the rivers and lakes freeze, we ice skate on top of them or drill small round holes into them for fishing.

La diversión de Wisconsin no termina cuando la temperatura baja o la nieve cae. Si nos vestimos en capas, primero una suave capa de ropa interior de algodón (leggings y camisetas), luego una capa de ropa normal y, sobre ella, abrigo, bufanda, guantes y gorra, los niños de Wisconsin pueden jugar afuera durante casi toda la temporada de invierno. Pueden deslizarse en trineo, esquiar, montar toboganes y aventarse bolas de nieve. Cuando los ríos y los lagos se congelan, se puede patinar sobre hielo o perforar pequeños agujeros para pescar.

Power Words   *Palabras Poderosas*

Learning new words is a great way to become a better reader, writer and thinker! Here are some important words to practice and use when you are discovering all about plants. You can build on what you know about these words in many ways. Here are some ideas to try!

• Be a teacher and describe the word to a family member or friend.

• Be an artist and draw a picture of the word.

• Be an author and tell a story using the word.

• Be an actor and act out the word.

Bark *Ladrido (noun); Ladrar (verb)*	**Fruit** *Fruta*	**Root** *Raíz*	**Stem** *Tallo*
Branch *Rama*	**Grow** *Crecer*	**Season** *Estación*	**Trunk** *Tronco*
Cycle *Ciclo*	**Leaf** *Hoja*	**Seed** *Semilla*	**Water** *Agua*
Flower *Flor*	**Plant** *Planta*	**Soil** *Tierra*	

¡Aprender nuevas palabras es una gran manera de convertirse en un buen lector, escritor y pensador! Aquí hay algunas palabras importantes para practicar y usar cuando se está descubriendo todo sobre las plantas. Tú puedes ampliar lo que sabe acerca de estas palabras de muchas maneras. ¡Aquí hay algunas ideas para probar!

• Sé un maestro y describe la palabra a un miembro de la familia o amigo.

• Sé un artista y haz un dibujo de la palabra.

• Sé un escritor e inventa un cuento usando la palabra.

• Sé un actor y actúa la palabra.

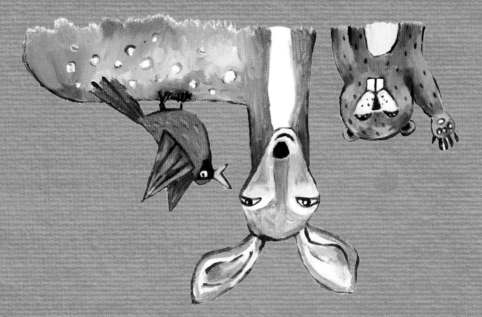

See you later! We hope you enjoyed this book.
Please read and share it with friends and
family again and again.

¡Hasta luego! Esperamos que hayas disfrutado este libro.
Por favor, lee y comparte con amigos y tu familia
una y otra vez.